Czytamy z Franklinem

Franklin
i wyścig gokartów

Książka powstała na podstawie animowanej serii
pt. *Witaj, Franklin*, wyprodukowanej przez Nelvana Limited,
Neurones France s.a.r.l. i Neurones Luxembourg S.A.

W oparciu o książki o Franklinie napisane przez Paulette
Bourgeois z ilustracjami Brendy Clark.

Ilustracje: Sean Jeffrey, Sasha McIntyre i Jelena Sisic.
Historia została napisana przez Sharon Jennings.
Na podstawie odcinka telewizyjnego pt. *Franklin i wyścig gokartów*,
tekst Brian Lasenby.

Franklin

Franklin jest znakiem zastrzeżonym Kids Can Press Ltd.

Projekt postaci Franklina: Paulette Bourgeois i Brenda Clark
Tekst copyright © 2006 Contextx Inc.
Ilustracje copyright © 2006 Brenda Clark Illustrator Inc.
Tłumaczenie: Patrycja Zarawska

Książka wydana za zgodą Kids Can Press Ltd., Toronto,
Ontario, Kanada.
Wszystkie prawa zastrzeżone. Żadna część tej publikacji
nie może być powielana, przechowywana w ogólnodostępnym
systemie ani transmitowana w żadnej formie i żadną metodą:
w postaci elektronicznego ani mechanicznego kopiowania,
nagrania dźwiękowego ani w inny sposób, bez uprzedniej
pisemnej zgody Wydawnictwa DEBIT spółka jawna.

Copyright © Wydawnictwo DEBIT sp. j.
43-300 Bielsko-Biała, ul. Gorkiego 20
tel. 033 810 08 20
e-mail: handlowy.debit@onet.pl

Zapraszamy do księgarni
internetowej na naszej stronie:
www.wydawnictwo-debit.pl

Wszystkie prawa zastrzeżone

www.Franklin.pl

ISBN 978-83-7167-499-0

Franklin
i wyścig gokartów

WYDAWNICTWO

WD
DEBIT

Franklin umiał już sobie zawiązać buty. Umiał też dobrze liczyć. Jednak czy będzie umiał zrobić skrzynkowy samochód?
I czy wygra nim wyścig?

Pewnego dnia Franklin i jego koledzy przystanęli przed sklepem z zabawkami. Na oknie wystawowym wisiało ogłoszenie.

Koledzy weszli do sklepu.

– Przepraszam, co to są gokarty skrzynkowe? – zapytał Franklin pana sprzedawcę.

– Dawno temu – wyjaśnił pan królik – towar przywożono do sklepów w dużych drewnianych skrzyniach. Dzieci dorabiały do nich kółka i urządzały sobie w nich wyścigi.

– To musiała być świetna zabawa – zauważył Franklin.

– Oczywiście. – Pan sprzedawca pokiwał głową. – Ale dziś nie ma już takich gotowych skrzynek. Trzeba je sobie zbudować samemu. Kolegom bardzo spodobał się ten pomysł. Wszyscy zapisali się do wyścigów.

Gdy wyszli ze sklepu, miś zapytał Franklina:

– Czy wiesz, jak się buduje taki samochód?

– Nie wiem, ale to musi być bardzo łatwe – odparł żółwik. – Trzeba tylko zbić skrzynkę z kilku desek. Żaden problem!

Razem poszli do domu Franklina.
Zajrzeli do szopy. Znaleźli parę
desek,
gwoździe
i młotek.

Mały żółw nieraz widział, jak jego tato buduje coś z drewna. Nigdy nie wyglądało to na trudne zajęcie. Franklin i miś zabrali się do pracy. Wkrótce ich skrzynka była gotowa. Z jednej strony wydawała się trochę wyższa, niż z drugiej.

Na jednym końcu była nieco szersza, niż na drugim. Ale Franklinowi to nie przeszkadzało.

– Widzisz, misiu? – rzekł. – To nic trudnego.

Potem przyjaciele poszli do misia
i zajrzeli do komórki. Szukali kół
i wkrótce je
znaleźli. Jedno
było od wózka
dla niemowląt.
Drugie od dziecinnego rowerka.
Trzecie i czwarte przypominały
kółka, jakie mają
wózki sklepowe.

Jeszcze trochę wysiłku i oto gokart stał już na kołach. Przechylał się lekko na lewo. Z tyłu unosił się nieco z prawej strony.

– Świetnie – zachwycał się Franklin. – Idealnie.

– Prawie – mruknął miś.

Miś rozejrzał się i dostrzegł
trójkołowy rowerek swojej siostry.
– A tu mamy kierownicę –
ucieszył się. – Becia na pewno się
zgodzi, żebym sobie pożyczył
jedno kółko.
– Teraz nasz samochód jest już
   idealny – oznajmił Franklin.

Franklin i miś poszli na plac zabaw.
Jednak nikogo tam nie spotkali.
Park był pusty.
– Pewnie jeszcze budują swoje
gokarty – orzekł żółwik.
– Ale czemu tak długo? –
zastanawiał się miś.
– No, wiesz – odparł Franklin. –
My jesteśmy najszybsi. Tak jak
nasz gokart.

Franklin i miś ruszyli z powrotem do domu. Po drodze spotkali królika Jacka.

– Zapisaliśmy się do wyścigu – pochwalił się żółwik.
– Będziemy najszybsi i wygramy go – dodał miś.
– A może zdobędziecie jeszcze jakąś nagrodę? – powiedział Jacek.
– Co masz na myśli? – zapytał Franklin.

– Mój tato przyzna też nagrodę za największy gokart – odpowiedział Jacek. – I jeszcze jedną: za najciekawszy wygląd auta.

– Hm – zamyślił się Franklin. – Dobra wiadomość. Bierzmy się do roboty, misiu. Kto wie? Może zdobędziemy wszystkie trzy nagrody?

W dniu wyścigu Franklin i miś
wtaszczyli swoje auto na górkę.
Żółwik pchał, a miś ciągnął
z mozołem.
Na linii startu ustawiły się
najróżniejsze gokarty. Nie były
bardzo duże. I nie wyglądały
nadzwyczajnie. Tylko że
wszystkie stały prosto. Żaden się
nie przechylał ani nie unosił
z jednej strony.
– Ojej... – westchnął miś.

24

Pan królik kazał się przygotować
do startu. Zawodnicy poprawili
i pozapinali sobie kaski.
Pan królik zawołał:
– Do startu... gotowi... start!
Zawodnicy odepchnęli się, jak
    umieli, i ruszyli w dół.
        Cóż to był za hałas!
            Franklin i miś zaś...

… nie ruszyli się wcale.

Miś wyskoczył z auta i popchnął
je z całej siły. Pchał i pchał, lecz
gokart ani drgnął.

Wobec tego Franklin wyskoczył
zza kierownicy i pomógł misiowi.
Pchali i pchali.

Wreszcie samochód ruszył.

Ruszył i popędził
zygzakiem z górki.
Wpadł na auto
bobra. Buch!

W pełnym
biegu
zahaczył
o gokart
królika. Łup!

Wiuuu! –
pomknął dalej.
Aż zawadził
o drzewo. Trzask!

Bęc! Odpadło
największe koło.

Bęc, bęc!
Odpadły dwa małe kółka.
Łubudu, bum, bum, gruch!
Gokart Franklina i misia sunął
jeszcze z rozpędu. Szuuu!

Przeciął linię mety. I – bach! –
zarył w ziemi i stanął.

Franklin i miś podbiegli
do swego auta.
– Wygraliśmy!
Hura! –
wiwatowali.
– Przykro mi –
przerwał im

pan królik. – Żeby wygrać,
musielibyście być w środku.
– O! – zmartwili się przyjaciele.
Ze smutkiem popatrzyli na swój
zniszczony samochód.

– Już nie jest największy –
westchnął Franklin.

– Ani nie wygląda najciekawiej –
zawtórował mu miś.

Wtem Franklin wpadł na pewien
pomysł.

– Panie króliku – odezwał się. –
Powinien pan wyznaczyć jeszcze
jedną nagrodę.

– Czyżby? – zdumiał się pan
królik.

– Tak – odparł żółwik. – Powinna
to być nagroda za najlepsze...

... zderzenia bez zderzaków!